小兔汤姆
成长的烦恼图画书
心理自助读物

汤姆最好的朋友

[法]玛丽-阿利娜·巴文／图 　　[法]克莱特·海林／文 　　梅 莉 萧 袤／译

海燕出版社 　　**MANGO** *JEUNESSE*

　　旺旺是我最好的朋友。今天，我要在他家玩一天，还要留下来过夜呢。我带来了睡衣、牙刷和我最喜欢的玩具。旺旺妈妈对我说："欢迎你，亲爱的汤姆。"

旺旺把我领到他的房间。他收藏了好多面具。那些面具帅极了。旺旺像电视里的明星一样跳舞，他真的太棒了！

　　"孩子们，来吃点心啦！"我们跑进厨房。旺旺妈妈对我说："你喜欢吃非洲烤饼吗？如果不喜欢，可以不吃。在生活中，每个人不是什么都喜欢吃的。"

烤饼很香，很好吃。"那是什么？"我指着墙上挂着的一个从来没见过的东西，小声问。"啊，你看到的是葫芦。"旺旺妈妈说，"葫芦是一种植物，比西葫芦大。这是用葫芦壳做的。"

　　"哎，汤姆，快来看我爸爸的乐器！"旺旺对我说，"这是非洲的达姆达姆鼓。大的是爸爸用的，小的是我们玩的。"

　　"这是把拉丰木琴。"旺旺又说。多么奇妙的声音呀，真好听！旺旺一边弹琴，一边唱歌。"可是，你唱的我一点都听不懂！"我说。"这是林加拉语，"旺旺给我解释，"我唱的是《你是我的朋友》。"

　　我太喜欢把拉丰木琴了！我玩呀,玩呀……忘记了周围的一切。

　　我抬起头，突然看到面前站着一个魔鬼。我害怕极了，拔腿就跑，边跑边叫："救命呀！"

"妈妈，我用面具吓着汤姆了。""吓你的朋友可不好。""可是，汤姆的胆子也太小了！"

　　他太过分了，我真生气，我还把他当朋友呢！他让我太伤心了。我拿起我的行李，我要回家。

　　"别害怕，汤姆。我把面具都收起来。"旺旺妈妈说。旺旺又拿出他收藏的非洲动物玩具。"我家也有许多动物玩具。我可以用水牛换你的大象吗？"我问道。旺旺点点头。嗯，我还是挺喜欢旺旺的。

　　这时，我们听到开门的声音。旺旺跑过去，扑进爸爸怀里："爸爸，爸爸，我的朋友汤姆在我们家呢。""汤姆，这是我爸爸，他是音乐家，总是到处演出。""汤姆，你好。"旺旺爸爸说，"很高兴认识你。"

　　"爸爸，你给汤姆演奏音乐吧！"旺旺说。旺旺爸爸马上开始
演奏。鼓的声音好大，震得我浑身颤抖起来。

　　旺旺爸爸把一只大大的达姆达姆鼓放在我面前。我学着他的样子打鼓。我老是出错，但我并不灰心。旺旺也玩起了沙槌。我们就像一支真正的乐队！

屋里充满了饭菜的香味。旺旺爸爸说："嗯，我们马上要开饭了！你俩先去洗洗手吧。"桌上的那些菜我都不认识，我只认识米饭。

　怎么，他们用手抓饭？我从来没见过。旺旺妈妈告诉我，
这是他们国家的习俗。和我们家正好相反，尤其是在爷爷家，
爷爷不许我们用手抓饭！

旺旺告诉我，只能用一只手抓饭。

　　我吃得好香。这时我发现面糊有一股奇怪的味道，我咽不下去了！我该怎么说呢？旺旺爸爸会生气吗？哎呀，我想哭了。旺旺妈妈看见了，对我说："你不喜欢木薯面糊吗？没关系，吐在你的餐巾里吧。"

　　该睡觉了。旺旺爸爸给我们讲了一个故事——《会说话的葫芦》，这个葫芦从来不说谎话。我很喜欢这个故事，我们三个在一起很快乐。

　　故事讲完了，旺旺爸爸对我们说晚安。我问他："为什么
您的皮肤是黑色的呢？""因为我们的国家，有很多阳光！"
他亲了亲我，就像我爸爸亲我一样。

　　我躺在床上，紧紧地抱着我的小熊。过了好久，我才睡着。半夜里，我惊醒了，周围一片漆黑，连旺旺都看不见。我哭了，我要妈妈！旺旺去叫他的爸爸妈妈。

旺旺爸爸跑来安慰我。我一看到他就笑起来，因为他穿的睡衣很好笑，好像是条裙子！我们三个都笑了。

23

　　旺旺爸爸把我们俩抱起来。他说:"汤姆,我们这里同你家有很多不一样的地方,但是,看看天空吧,你看,月亮照耀着所有的人呢!"